찬죠

[The struggle]

CHANCHO

발 행 | 2023년 12월 6일
저 자 | 찬쵸
펴낸이 | 한건희
펴낸곳 | 주식회사 부크크
출판사등록 | 2014.07.15(제2014-16호)
주 소 | 서울특별시 금천구 가산디지털1로 119 SK트윈타워 A동 305호
전 화 | 1670-8316
이메일 | info@bookk.co.kr

ISBN | 979-11-410-5736-7

CHANCHO

찬쵸 지음

CONTENT

5 등장

그리고 **6**에서 **99**까지

85 퇴장

등장

삼가, 세계에 남기고자 하는 의지를 변주 하려한다.

아스팔트 위 지렁이의 몸부림이 무대에 오른다.

16차선을 건너려는 주름 사이사이 들러붙는 비웃음을
보라.

그러나 이것은 부싯돌을 꿈꾼다.

잘 마른 낙엽을 잔뜩 끌어안고.

너와 불똥을 낳고자 하는 그런 소망처럼 납작 엎드려 있다.

그래, 마치 공기처럼 당연하고 오래된 이야기를

이제 뜨거운 날숨으로 다시 애써 낳으려는 몸부림이다.

-제 1 막-

Fragment fire

미지의 토끼

가장 비싼 미지는 뭐 하냐며 툭 던진 우리 사이
구름에 그늘진 고원에 숨어든 쥐토끼의 일과처럼

(숨은 대부분 의식되지 않는다)

사이에 쏟아진 은하수, 주섬주섬 같이 줍는 시간 아래
그려지는 그림의 붓터치를 힘껏 떠올리며

.

오후의 스펀지

넉넉히 점심을 먹고 풀밭에 눕는
구름 아래의 단차가 있어요

콜라는 미리 넣어뒀다는 드레스를 걸쳐요

  눈을 감는 스펀지

파도같이
까치발을 들어요
무명 화가의 그림같이

지금은
벽을 가질 수 있을까요

대숲 사이로 우수수 덤벼오는 바다를 가두려 애써요
백사장에 파인 글씨와 굽혀 닿는 몽돌 혹은 산속을 거닐면

만나는 돌탑의 침묵을 듣기 위해 까치발을 들어요

다행히 찢어진 조각은 많아요
묻은 손길을 다시 한데 모아요
둥지를 틀고

지금

품 아래 분명 알이 있다는 전설처럼
자세를 고쳐 앉아요

여기 있다

여기 내가 있다는 전시회의 CCTV가 있다

배가 부르면 너머 너머 다른 전시회가 보인다
돌아온 곳에 내리는 적막의 출처를 물으면

전속력으로 가젤을 추격하는 치타의 무늬 위
사이사이 갈라지는 파도의 율동

숨, 어머니는 언제나 콧구멍을 들락날락 하신다
손님 아닌 손님은 하루도 전시회를 빠진 적이 없다

화가 난 방문이 세차게 닫힌다
비닐이 씌워진 숨이 코를 틀어 쥐면

밖에선 두 손을 비비는 오래된 주문이
머리 위에 거름을 얹으시고 시작된다

무제

냉장고에 붙은 스티커는 잘 뜯어지지 않아
귀찮다는 건 몹시 대단해
먹구름에는 다른 단위의 무게가 있어
/

계단은 잘 만들어져 있어
승강기는 잘 오르내리고 있어
아픔은 경계가 없어
/

빛 아래 오징어와 멸치
부단한 날벌레
각자의 동산을 그리고 있어
우리는 차원을 넘나들며 대화하고 있어
해파리도 많은 말을 하고 있어
/

우린 모든 것에 책임이 없을 수 없어
그렇게
별것도 아닌 것이 아닐 수 있어

일체유심조

[잘 닦은 방 안에 앉아서

음악을 켜놓고

그림처럼 있어본다는 이 생각]

삼가 겨운 기쁨에

삼가, 산책 나온 강아지가 겨운 기쁨에
온 몸을 풀밭에 비빈다

***

꽃밭의 꽃과 흙 속의 씨앗은 무엇이 다를까
씨앗은 무시무시한 힘으로 돌이 되고자 한다
다만 돌이 되고자 하는 것은 돌이 아니고자 함의 관성이다

잃지 않은 것은 가질 수 없다
숨은 수면 아래에서
절정은 시듦 속에서 시금석을 갖는다

갖고 태어난 것은 내 것이 될 수 없고
깨끗이 비운 속이 드러나면
백지는 세계를 붓으로 삼는다

얼룩말이 사자를 사냥하고
사자가 풀을 뜯는다

첫 울음 속에
돌이 되고자 했던 힘의 근원이 있다
점으로 집중하며 마침내 사라지는 것은 전부가 된다

***

삼가, 산책 나온 세존께서 겨운 기쁨에
온몸을 우주에 비비신다

울산 바위

울산 바위는 참 멋있다 그런 바위는 흔치 않다
길 위의 적당한 돌은 발로 차기 좋고
모래알은 밑창을 비비는 소리이자 픽셀의 단위에 사는 주
민이다

어떤 단위는 어떤 단위로 부터 왔노라는 알을 품는다
또 어떤 단위는 다시 어떤 단위가 될 것이라는 알을 품는
다
썩지 않는 알은 죽은 알과 같지만 품는 사람이 아니고서야
알 방법은 없다

단위는 고고학의 붓질보다는 맥박의 변덕 속에서 태어난
것과 같고, 자 위에 드러나지 않는 무게와 저울 위에 놓인
시간의 처지에 아른거리는 실루엣을 엄마로 삼는다

오염시키고자 덤비는 긴 울음들은

무늬이자 얼룩이거나 어쩌면 좌표이자 이름이 될 수도 있
는 환상에 존재의 뿌리를 힘껏 내린다

마침내 투명한 유리창을 내어 햇살을 모신다

빈 병

보온병은 온도를 가둘 수 있게 된 병이야
그런 종류의 바람을 담기 위한 빈 유리병은 많을수록 예뻐
여기 사이버 펑크라는 말로 리모델링 된 거리에 칠해지려
는 걸음이 있어

주머니에 넣은 손과, 입김
플레이리스트의 썸네일을 한 입 머금고
비밀리에 모여드는 양자의 중첩들
진짜 무늬를 갖기 위해 불타고 있어

핫플을 사랑한 우린
도통 만나기 힘든 에스프레소라는 말을 위해
신상의 형태로 자세를 고쳐 앉아 병을 주고받으며
그것은 도심의 전설이 되지

투명함을 채우려는 1층을 봐

덩그러니 구석에 놓인 곳일수록 좋아
도도한 병들이 괴고 있는 턱 너머 말이야

해석은 변덕으로 반짝여
손깍지, 분명 여기 차원에 존재하지 않는 물질이었다는 걸
함께 기억해

두더지, 바다

두더지는 바다를 짜내고 있어

어서, 눈을 떠, 어서
눈을, 어서

뭍에 관한 전설과
좋은 거북이 바다를 건넜다는 이야기를 배밑에 집어 넣으
면
검게 침몰하는 그림자

…바다는 두더지의 몸에서 기어나오고 있어
말라가는 코, 거뭇거뭇 구름…

하나의 바다에는 오직 하나의 두더지가 허락된다는 업이
있고 두더지는 두더지이면서 두더지 일순 없다는 기후를
직감해

가장 깊은 코트속 주머니에
넣어둔 흰나비의 합장
오래된 시계가 분해된 옷장 속
웅웅 차오르는 습기와 녹아내린 건전지

영원한 서랍과 그곳에 가득 찬 그림자
얼어붙어 멈춘 것들은 빙하로 가득한 적도에 살아

오지 못한 오후는
기다려, 두더지의 외출을

드러난 시체의 이야기에 불을 비벼야만 나타나는
어느새 가득 쌓인 조가비, 뭉툭해진 유리조각과 하얀 백사
장

뜨겁지만 고요한 파도, 그리고
바다두더지를 기다리는, 동그란 기도의 부리

당신의 두꺼운 수염이 좋아요

전 당신의 수염이 좋아요
길고 두꺼운 춤을 원해요
우린 깊은 구덩이 밑에서 엉켜 있어야만 하죠

하지만 대낮은 여전히 권력을 갖고 있어요
움직일 리 없는 것들 뒤에 집을 지어야 해요
적어도 다치진 않을 거예요
저건 내가 아니라 말하는 것으로 괜찮다는 거예요

두통과 타이레놀처럼

메슥거리는 것들의 포즈는
저 형광등을 쟁취하고 싶은 거예요
비밀이 되고 싶었던 적은 없었으니 결국 부패하는 각선미
를 봐요

십자가 밑에 놓인 그녀는 숨을 죽여요, 산양의 가면을 씌워 놓고 어서 퀴퀴한 모이를 받아와요 우리의 사랑은 거기에 부리를 박아요

난 당신의 두꺼운 수염을 좋아하니까요

하지만 화단엔 관리자가 있는 법이에요

그러니 항상 뿌리를 감시해요, 산양의 가면을 씌워 놓은, 숨죽인 그녀를 기억해요

환풍구

환풍구 두드리는 빗소리
방 안에 숨어있던 고즈넉함을 꺼내 앉히자

엄마처럼 팔 벌려 피어나는 몸

사파이어, 똥파리

똥파리, 사파이어에 앉아
굶어도 좋을 정도의 식사 아닌 식사

트럭에 치인 것 같은 기분이 아름답고 좋겠어
멀쩡한 환자들이 신고 다니는 폭탄은 이제 비싼 값을 받고
있어

먹고 싶은 게, 입고 싶은 게 슬퍼서
너흰 운이 좋다는 탄산 뒤에 숨겨진 갈증을 그 누가 알겠
어
이건 알던 갈증이 아니야
저기요 그러니까 정말 많은 폭죽이 필요해요, 셀러브리티

좋은 날개들을 살 수도 있어
원한다면 케언스비단나비도, 뱀잡이수리도 될 수 있어
그러니까 탄산 뒤에 숨겨진 갈증을 그 누가 대비할 수 있

겠어

그나저나 밤을 새우는 일이 얼마나 쉬워졌는지…
곰곰이 씹어 본적이 있다면… 하지만 느긋이 씹는 건 이제
특권이니까…
우린 이렇게 우리의 속도를 적는 것으로 또 하나의 미지를
뚫고 그곳에 헐떡이는 숨을 숨기며 두근거려야겠지
이대로 테크놀로지가 될 순 없잖아 함께 도망치는 거야 저
너머의 너머로…
배낭을 싸, 다만, 가장 빛나는 가로등 아래 선명한 날파리
의 춤, 쓰레기 더미 밑에는 코스모스가 숨어 있다는 이야
기가 있어야겠어…
금속탐지기 성능이 좋아진 만큼 이제 우린 아무것도 아닌
것들 밑에서, 밑으로
견디는 물방울 꽃, 값비싼 숨을 저 바다 밑으로…

구덩이 원룸

형광등 아래 구덩이
재료는 절망으로 해서 춤추는 합창
이 거리는 옆집 사람의 존재를 확실히 한다

이제 많은 것이 싸고 단단해 좋기에
사람의 살아있음은 목에 차오른다
자이로드롭의 낙차
절벽의 생성은 날개로의 진화보다 몹시 빠르며

서랍 깊은 곳, 부서진 크레파스
두려울 게 없던 첫 발자국들
이제 그림은 그림 그리는 사람들의 것으로 하자는 마음은
어른스럽다

박스는 주위 갈 사람들을 마치 비웃는 값으로
굽은 등위로 솟는 달콤한 벌어짐, 진딧물

무심히 스치며 짐승이 짐승에게 말없이 말하는 것처럼

한 겨울, 순식간에 치워지는 눈들
가차없는 속도가 자랑거리인 여기
멀미는 맨 뒤 칸으로 가시고

갈아치우는 기록들, 불가능이 없다면 DNA는 감옥이 될 일
그러니 진주로 만드는 백사장에 잘 팔릴 수밖에 없는 하나
님, 더듬더듬, 하나님

5월

저 새 소리는 아무것도 아님
저 철쭉과 아카시아 냄새도 아무것도 아님
저 빗방울도, 대기의 온도며 공기의 흐름 또한

모든 것은 아무것으로서 있어도 괜찮다는
만 미터의 수심이 있다
고로 빈방은 사자가 되기도 한다

탁자를 잃은 꽃병이 깨진다
물을 가는 손길도 당연히 함께 깨진다

말이 안 되는 이야기가 갖게 된 무게에 귀를 기울이면
그것이 가라앉게 된 출처가 움푹 파이기에
빈 방은 비어 있지 않음이 된다

사방을 막은 벽의 욕구를 더듬으면

쌓인 먼지가 품 안에 쥐고 있던 이야기를 마주하게 된다
환상은 환상으로 끝나지 않는다

겹겹이 쌓은 막을 넘어
침투하고 가라앉는 세계의 조각들이 있다
깊이를 알리려는 듯

잘 닦인 탁자 위에 앉은 꽃병과
커튼 사이의 햇살을 숨기려는
범인이 있다

모든 것이 아무것도 아니라는
썰물이 하자는 숨바꼭질
그러면 드러난 갯벌이 밀물을 속삭인다
모든 것은 모든 것이어도 좋다는

… …

철쭉의 향기, 그리고 시원한 빗방울 사이사이 새의 노래
텅 빈 탁자 위의 먼지가 떠난다

여름

고목을 끌어안고 풀빛 주단을 털어내는 아지랑이

여름의 주인이 소식을 듣곤
우르르,
대지를 밟는다

마음
자욱한 안개의 존재가 탄로나며
숨을 끌어당긴다

가만히 놓여 있는 것 또한
무언가를 위한 부지런함이며

내맡겨 고요하고자 하는 은하의 중심에 모여드는
미지를 보라

삼위일체

인간의 타고남이 외부세계와의 마찰과 그로 인한 고통 속
에서도
자신의 타고남을 죽이려 들지 않고 온전히 세계 속에서 조
화를 이루려는 숭고한 투쟁을 이어 나갈 때
그리고 마침내 그 몸부림이 유일무이한 개성이자 영혼을
위한 거푸집으로 드러날 때

불꽃

볼품없다 느끼던 몸은, 때때로 누군가에게 절실한 물 한모금처럼 반짝이며 펼쳐진 은하수보다 더 반짝이는 몸으로, 그 사람의 가장 비싼 표정을 훔친다.

별것 아닌 도움은 썰물처럼 빠져나가지만, 아주 가끔 누군가의 가장 아름다운 주단이자 달빛을 머금은 밀물로 돌아오곤 해.

서로에게 그런 주파수로 마주칠 순간이 때때로 펼쳐지는 이 세계이기에, 그 순간에 항상 굶주린 방랑자들이 가득하다면야…

…환상, 그러니까 어떤 이야기나 동화책을 품 안에 꼭 안고 살 것인지가 가장 무서운 일일지도 모른다는 작고 예쁜 파편을 꼭 쥐고

잎들이 처마

잎들이 처마
볕에 흠뻑 취한 풀빛 춤과
매미 목청의 본분

이성(理性)은 객석의 예절을 머금는다

　땅 밑의 꿈과 기도를 잊어서는 안돼
　눈 앞의 선과 면과 색은 실마리일 뿐
　그래, 상상할 수 있는 모든 것
　…이야기의 옷소매를 발견하는 고고학자의 붓질이 있어

마루에 붙는 등과 서두르지 않는 부채질
고요히 웅크리는 땀과 경계에 덤비는 오감의 밀물
맞닿아 부활하는 공간과 구슬처럼 잠기는 우주
저 나무는 거대한 신전의 기둥으로 거듭나지

귀 기울여, 혼의 흥얼거림을

그러면

어린 바람이 잎 사이사이를 마음껏 달리고 있어

…조가비의 기나긴 시간, 그리고 진주가 떠올랐지

물살을 거스르지 않는 해초와 말미잘이 숲의 미지, 저 너

머에서 나타나 각자의 율동을 그리고 있어

그들이 어디에서 왔는지 어머니가 누구인지 노래하듯 존재

하고 있어

어느새 어항이자 바다이며

더듬더듬

영혼의 맥박을 놓치지 않으려는 멈춤으로서

고요한 축제이자

영원한 순간에 잠입하려는 책갈피로서

잎 사이사이의 파도와 영혼의 발자국

임박한 붕괴와 무녀 지는 숨결을 직감하며

쭈뼛 섰던 찰나, 기쁨의 주인으로서

절벽

넓은 발 볼이 사랑한 작은 신발
올려다본 하늘
구름은 처지에 맞게 모양을 붙잡고 있어

발목 깊이에서 허우적대는 비명
깊고 시꺼면 바다가 아니라는 사실에 왈칵 내장이 쏟아질
정도로 얇아지고 있어

그 밑 그늘의 거친 숨소리…

어떤 도미노를 지키기 위해서라며
녹슨 못을 촘촘히 세우고
발을 박박 문지르고 있지

…그러면 문 너머 지긋이 감은 엄마의 두 눈과 쉬지 않고
비비는 손바닥의 온도가 덮쳐오며 온 몸은 지글지글 타오
르곤 해

사자가 사라진 초원에서 달리기를 잃어버리고
신을만한 신발이 없다는 방울뱀이 그 자리를 대신하지
그것은 단지 심리적인 문제에 지나지 않다는 고고한 석탑
은 단단한 가면 뒤에 들끓는 구더기를 숨기고 있어

뭍을 몰래 상상하며 견디는 작은 종이배는
방주를 집어삼킬 파도를 기다리지만
잠잠한 수평선의 절망과 아늑한 햇살 아래에서
침몰할 수 없는 처지가 드러나고 말았단다

그렇다면 이제 직접 얼굴을 파묻고…
눅눅한 구원에 몸을 맡겨야 할 때

조심, 조심
온몸을 닻으로 삼은 가자미의 은신처럼…

지느러미의 다소곳함으로
고요히 절박(切迫)을 녹이며

부처님 머리

한 상 차려진 부처님 머리 앞
바위가 그저 절을 부딪힌다
무릎을 버리고 머리 위로 올리는 두 손바닥에
고요한 샘이 흐른다

단단한 사지가 찢어지며
한 배 한 배
정이 들어와 깎인다

마침내 금빛이 틈을 파고들면
한 상 차려진 부처님이 까맣게
선반을 내놓는다

이제 바위는 알의 형태를 갖고자 애쓴다

이제 큰 절이 불에 타는 것은 아무 일도 아니게 된다

선반 위에 있는 것들 보다 행주가 지나간 자리를 보라
불에 타도 타지 않는 절과 합장이 있다

제비 부리가 매미를 바위에 던진다
울음이 툭툭 부서진다

그늘이

9월 7일은 그늘이 제철
조용히 걷다 조용함을 문득 알아차리면
누가 흔들어 깨운듯 해

문득 아무렇다는 은하수가 내려 앉으면
그것은 한아름 달려 들었지

풀잎 사이사이 어딘가
여기있다 여기있다
분명히 하려는 섭리들이
처지를 따질 겨를도 없다는듯
우는걸 듣다 보면

… …

쓸모

중요한 것은 아직까지 쓸모가 있다는 느낌이다
옳고 그름이 아닌 바로 아직까지 쓸모가 있다는 느낌이다
세상에 꼭 필요한 존재라는 그런 느낌이다
어느 날 문득 서랍 속에 있던 고무줄 하나가 절실해지는
것만 같은 혁명을 고대하는 것처럼

그냥

그냥 전화해봤다는 말이 참 반갑다

(비로소 꾸준히 힘찬 꽃밭은 한 번쯤 지쳐 쓰러지는 순간
에 이르러서야 정녕 피어난다)

-제 2 막-

Retrospection

방

'방'은 우주 역사상 가장 자유로운 공간이다. 화장실 불이 켜져 있다. 문이 열린 채로. 닫아야 하지만 닫을 생각이 없다. 무언가 고장 난 걸지도 모른다. 일어서서 불을 끌 수 없을 정도로 무언가 심각한 일이 몸 안에서 벌어지고 있는 걸까. 확실히 몸은 무언가를 항상 직감하고 있다. 방 안에 멀쩡히 굳어, 존재 하지 않는 것으로서 존재하고자 한다. 이 방에는 백수가 존재하지 않는다고 고요히 외치는 것이다. 일단 아무도 없는 것이다.

불안한 듯 귀에 음악을 쑤셔 넣는다. '내 마음에 주단을 깔고', 묵직한 베이스 소리가 기막힌 산울림의 대표 곡이다. 게으른 인간은 몹시 허기지다. 지금 이러한 기록 또한 하나의 발버둥이다. 쓸모 없음이 쓸모 있고자 하는 투정 일지도 모르겠다. 가치 있는 무언가를 생산한다는 느낌을 간절히 원하며, 쓸모 있고자 하는 발버둥이다. 아, 한 마디 말이 노래가 되고 시가 되고, 내 마음에 주단을 깔고 그대 위해 노래 부르리.

이 방과 이 몸은 공장이다. 공장이고자 한다. 생산의 기쁨을 누리고자 찾아낸 방법이다. 구름 같은 고통을 지우는 최면이다. 무엇이라도 쓰고 남기며 스스로 감탄하는 행위가 이어진다. 스스로 생산해 스스로 소비하는 구조다. 공장에서 만들어진 글들은 곧장 다시 공장으로 배송된다. 고도로 발달한 자위행위다. 언젠가는 성경과 같은 말씀으로 남을 거라 순진하게 믿는 기쁨이다.

속이고 또 속이다 결국 들통이 나기를 계속해왔지. 다시는 그러지 않을 거라 맹세했지만 어느새 또 속이고 있는 자신을 보며 절망해. '지금'은 견딜 수 없이 치욕적인 순간이니까. '그 날'이 오기만 한다면 한꺼번에 용서받는 거야. 한 번이면 돼. 무섭다. 값은 반드시 치러야 할 거야. 바늘에 찔려 펑 하고 터지면서 홀쭉해지는 거지. 모두들 깜짝 놀랄 거야. 진짜 기막히게 속여 왔거든.

당연한 순서야. 그 놈의 기대 좀 죽이려는 거야. 기대에 기대면 나처럼 바늘에 찔려 펑 하고 터지면서 홀쭉해진다니까. 언제 터질지 모르는 몸에 벌벌 떨며 살고 싶니. 그러니까 빨리 터지는 편이 좋아. 얼마나 볼품없는 존재인지 깨닫는 거지. 마침내 나를 내가 두들겨 패는 거야. 벌하는 거지. 얼마나 역겨운 존재인가를 깨닫는 거야. 그렇게 하나씩 진짜 내 모습을 마주하는 거지. 알아가는 거지. 실컷 미워하는 거야. 혀를 차고 뒤돌아 피해버리는 걸 말하는 게 아니야. 차가운 미움을 말하는 게 아니야. 두 눈을 마주하고 뜨거운 숨결이 느껴질 정도로 가까운 거리에서 미워하는 거야. 마침내 용서할 수밖에 없는 뜨거운 눈물이 흐를 때까지 말이야. 혼신의 힘을 다해 두들겨 패는 거야. 직접 마주하며 그 미움을 품을 수 있는 비위를 만드는 일이지.

결과는 장담할 수 없어. 스스로 용서할 수 없다면 끝나는 거야. 마주하고 받아들일 자리를 만들지 못하면 미움에 집어삼켜질 밖에.

내가 기다리는 사람은, 다름 아닌 나였던 거지.

나는 상자이자 자물쇠이자 열쇠였어. 상자 안에 뭐가 들어 있었냐고?
아무 것도.
그런데 말이야, 어느 순간부터 그 빈 상자에 뭔가를 집어넣고 있는 내가 있더라고.

마침내 빈 상자였다는, 사실로부터.

나는 아무것도 아닌 존재라는 거대한 실망으로부터.

우리는 모든 것이 될 수 있는 존재로 거듭나는 걸지도 몰라.

덜컥 시간만

무언가 적으려 켜놓았던 시간만 덜컥 남아 있다.

지금은 2018-5-12 02:49

백지라는 공포

그럼에도 불구하고 세계는 오늘도 극적으로 나아지지 않기
에.

다만 가능성은 새하얀 백지와 같이. 이토록 무한하며 절망
적인 색으로.

모든 것일 수도 있다는 것은 아직 아무 것도 아니라는 것,
나는 펜이 되어야했고.

응.

지옥 바라기

사실상 날이 갈수록 공명정대해지는 세상에서, 재능 있는 사람이 억울한 경우가 점점 줄어드는 세상에서, 두려워하는 것이다. 탓할 거대한 '악'과 '무능'이 점점 사라지는 것이 두려운 것이다. 거대한 악과 음모 탓에 가만히 죽어가는 것이 용서받는 지옥을 원하는 것이다. 그래서 세계에 악의와 음모를 잔뜩 묻혀 떠드는 것이다. 세상은 지옥이어야만 하니까. 그런 세상이 아니라면 자신의 존재는 한 없이 볼품없고 역겨운 것이 되고 마니까. 인간 안에 존재하는 뜨거운 가능성과 힘을 모조리 지우는 것이다. 마치 없던 것처럼. 없어야 하는 것처럼.

여전히 세계는 불공평하고 지옥과 다름없을 정도로 고통스럽다고 말해야 하는 것이다. 초라한 자신을 가리기 위해서. 가난은 게으른 성정(性情)의 탓이 아닌, 거대한 국가의 무능과 사회의 기득권 때문이라는 이불을 덮는 것이다. 사실상 완벽하진 않지만 상당히 공정한 기회가 주어졌음에도 터무니없이 부족한 자신의 능력 탓에 실패했다는 사실을 받아들이는 것은 몹시 힘든 일이기 때문이다. 현실과 진실을 받아들이는 일은 대지를 뚫는 새싹이 되는 일이기에, 알던 세계를 마침내 버리고 새로운 세계를 받아들이는 일이기에, 가장 위대한 일이기에 그 만큼 힘겹고 고통스러운 것이다.

그렇기에 우리는 무능해도 좋을 이유가 세상에 쏟아지기를 간절히 원하는 것이다. 땅 밑의 씨앗이어도, 그저 번데기여도 괜찮은 게으름을 원하는 것이다. 흉악한 뉴스가 잔뜩 쏟아져 나오고 세상이 불안에 떨며 그저 살아있음을 감사하는 지옥으로 칠해지기를 바라는 것이다. 괜찮지 않은 것을 괜찮다고 말해주는 사기꾼들을 원하는 것이다. 그렇게 '괜찮은' 것으로 죽어가길 원하는 것이다. 살해당하기를 원하는 것이다. 영원한 피해자로 남아 가해자를 탓하며 비참하게 살아도 좋을 이유를 붙잡는 것이다. 탓하고 또 탓하는 것이다. 가해자를 찾아야 하는 것이다. 자신을 죽이는 범인이 자신이라는 사실로부터 기어코 도망치려는 불가능을 위하여.

겨울 나무

혹독한 겨울을 직감합니다. 손금이 예사롭지 않다는 말과 비슷하네요. 전날 수능이 끝났습니다. 몹시 무거운 날입니다. 많은 몸들이 도무지 감당할 수 없는 불꽃에 타들어가며 몰래 울고 있습니다. 지금 겨울엔 저 나무도 사람도 죽음을 떠올립니다. 나무는 반드시 다가올 부활을 알지만, 아직 어린 몸들은 지금까지 미뤄둔 첫 겨울을 한꺼번에 마주하고 있을지도 모릅니다. 죽지는 않지만 죽어야만 할 것 같은 이유가 가슴을 짓누르고 까맣게 타들어 갑니다. 온 몸을 숨기고 싶은 부끄러움과 죄책감이지만 한 걸음 뒤는 절벽입니다. 존재를 감당하기 힘든 나머지 불을 끄는 게 편하고 잠은 점점 길어집니다. 세상에서 자신을 지워버리고자 하는 마음입니다.

작품을 투고했지만 연락이 없습니다. 또 한 번의 실패를 준비합니다. 도무지 익숙해지지 않는 아픔이지만, 탓해야 할 것은 없으며, 고생한 허벅지를 주물러주며 다음엔 어디로 가야할지 고요한 대화를 나눠야 할 것입니다. 오아시스는 만나지 못했고 앞으로도 절대 만나지 못할 그런 확률일지도 모릅니다. 그렇지만 그런 삶에서는 다른 형태의 성장과 결실이 존재합니다. 오아시스를 만나지 않아도 충분히 견딜 수 있는 몸입니다. 그러나 이런 마음도 언젠가 와르르 무너질지도 모르겠습니다. 지친 몸과 마음이 이제 그만하자며 모든 힘을 빼버릴 지도 모르겠습니다. 그 무엇도 확신할 수는 없습니다. 그래서 나는 그 누구의 삶에 대하여 함부로 말 할 수가 없는 것입니다. 그 언젠가 내 모습일지도 모르기에.

그러나 아직까지는, 적어도 아직까지는, 그런 삶은 내 목숨처럼 지켜오며 떠들던 아름다움과 다르기에. 스스로 포기하는 일은 내 목숨 보다 더 위에 올려놓은 가치를 포기하는 일이기에. 죽는 것보다 더 죽는 일이기에 죽어도 그럴 수는 없습니다.

내일은 오래 이어진 가뭄이 끝나고 비가 내리길 바라지만, 타 들어가는 햇살에 그늘이 많았으면 하지만, 마냥 그렇진 않을 것입니다. 비가 내리면 좋지만, 내리지 않아도 가야만 합니다. 투정 부리기에는 아직 너무나 젊고 튼튼한 몸입니다. 쩍쩍 갈라지는 비참함 따위는 충분히 집어삼킬 수 있을 정도로. 그러니까 아직 입니다. 아직 입니다.

깊이 1

이대로 살아도 좋은 가.
이대로 사는 게 괜찮지 않을 때, 인간은 비로소 아름다운
무엇을 고통에 겨워 낳는다.

인간의 숨에는 한계가 있고 각자의 숨에는 또한 각자의 길
이가 있다. 녹아 있는 이야기의 깊이는 하나의 우주를 단
위로 삼아도 헤아릴 수 없다.

저기 풀잎 위에 달팽이가 길을 나선다. 달팽이 옆을 말이
세차게 달린다. 그러자 메뚜기가 펄쩍 뛰어오른다. 몸집이
큰 다른 달팽이는 멀찌감치 길을 앞지른다. 달팽이는 더듬
더듬 찰나를 영원처럼 달린다.

분명한 한계를 보라. 말이 될 수 없음을, 메뚜기라도 될 수
없음을, 더 큰 달팽이가 될 수 없음을 분명히 말하는 타고
남을 보라.

그저 타고난 본능대로 아무런 생각 없이 풀잎이나 갉아 먹는 달팽이를 비웃는다면 그것은 누구의 비웃음인가. 만약 고고하다면 그것은 누구의 고고함인가.

주어진 불변이자 절망이자 한계에서 비롯한, 그럼에도 불구한 율동을 보라. 중요한 것은 각자의 타고남을 단위로 한 세계에서의 고고한 발버둥이다.

어디까지 올라왔느냐가 아닌 어떠한 몸뚱이의 단위로 얼만큼 올라왔느냐를 보라. 누군가의 시작이 누군가의 꼭대기일지라도 그것은 전혀 같지 않다.

고로 나는 무엇에 가장 뜨겁고 힘찬 눈물을 내어줄 것인가임에 다름 아니다.

깊이 2

세계라는 곳에 의미라는 것이 애초에 없었다면, 세계는 그저 존재하는 곳이라면, 그런 세계에 인간은 또한 아무런 의미 없이 덜컥 던져진 존재라면, 삶의 의미는 어딘가 존재하는 절대적인 것이 아니라, 자신이 만들어 내고 선언해야만 하는 것이다.

이 세계에 의미를 부여할 수 있는 존재는 온 우주에서 단 하나 바로 나 자신이다.

아름다운 것은 아름답기에 아름다운 것이 아니며, 우리가 아름답다고 느끼기에 아름다운 것이다. 황무지에 그저 던져졌다면 어째서 던져졌는지를 묻는 것이 아니라 황무지에 던져진 이유를 직접 만들어야 하는 것이다. 어딘가 존재하는 것을 찾는 것이 아니라, 세상에 존재하는 모든 것들을 총동원하여 만들어야 하는 것이다. 그러니까 이 세계에 의미를 부여할 수 있는 존재는 온 우주에서 단 하나 바로 나 자신이다. 그렇기에 각 인간은 무한히 존엄하다.

무엇이 아름다우며 가치 있는 것인지 선택하는 일, 무엇을 삶을 이끌어나갈 믿음으로 삼을지 결정하는 일, 삶과 이 세계의 가치는 오로지 나 자신에 의해 결정된다는 말이다. 그야말로 최대로 공포스러운 진실이다.

절망에 너무 절망할 필요는 없다. 절망은 새로운 기쁨을 낳는 새로운 둥지다. 철저히 절망하더라도 절망이 남길 유산을 잊어서는 안 된다. 절망의 깊이만큼 뿌리는 다시 뻗을 것이고 많은 기쁨들이 다시 그곳에서 피어나고 우리는 보다 시련에 강해질 것이다. 추락해본 적이 없는 자의 기쁨은 그 높이만큼 우스울 것이다.

모든 것을 잃는다는 것은 모든 것에 다시 소중할 준비가 되었다는 것이며 그 잃은 자리에는 의미와 가치가 자리 잡을 것이다. 그렇게 세계는 조금씩 풍요로워 지리라. 숨을 느끼고 싶다면 물 아래로 들어가라. 햇살을 느끼고 싶다면 어둠으로 들어가라. 그러면 이전의 숨과 햇살은 새로운 숨과 햇살이 되어있을 것이다.

얼마나 높이 올랐느냐가 아닌, 얼마만큼 올랐느냐로 삶의 가치를 가늠하라. 너 자신은 제목이나 간판이 아닌 이야기 그 자체임을 가슴 한 켠에 있는 가장 좋은 선반 위에 고이 두어라.

출근길 명상

가만히 노트북 앞에 앉아 내일 출근길을 두려워하는 마음을 막을 수는 없지. 내일은 도끼를 들고 오늘 같지 않을 것이라는 모습으로 서 있구나. 그래 그러렴, 그렇게 고마운 휴일이 익어가는 거니까. 바람도 햇살도 점점 반가울 테고. 나는 많은 작은 것들을 그리워하며 몰래 기쁜 울음을 삼킬 일이 보다 많아지겠지. 그래, 세상 가장 고요한 기적을 말하는 거야. 모든 당연한 것들로 부터의 이별과 기분 좋은 아픔을 마침내 발견하는 기적 말이야.

두려워할 때 우리는 반짝인다고 말한다면 큰 위로가 될까. 다만 그 빛을 직접 볼 수만 있다면 우린 좀 더 넉넉히 두려워할 수 있다는 생각이 들어.

137억년 우주 역사에 지금 내가 그리는 흔적은 어떤 의미를 가지는 걸까. 이런 마음이 영원이라는 단어를 만들어낸 거라는 생각을 하고 있어. 모든 것이 정답이 될 수 있다는 세계만큼 무서운 것이 있을까. 정답이 없다는 말은 두려워.

붓을 들고 한 장 밖에 없는 백지 앞에 서서 두려워하지 않을 수 있을까.

무언가에 홀린 듯 그리지 않으면 참을 수 없다는 표정을 가지기 위해서 우리는 충분히 두려워하고 아파해야 했던 거라는 생각을 주머니에 넣고 다니는 건 어떨까. 마치 잔뜩 썩어가는 낙엽 밑에 씨앗이 가득하다는 꿈을 머금은 미소처럼.

보증금 구하러 가던 길

부족한 보증금을 위해 대출을 받으러 가던 길, 건물 앞 도보 위에 앉아 선생님, 선생님 부르는 할머니가 하나 있었어. 혹시나 길을 잃은 걸까 해서 그 부름에 다가갔지. 알록달록 몸뻬 바지와 겹겹이 껴입은 옷에 스카프를 두른 할머니가 앉아있었고 왼쪽 눈이 감긴 채로 말하셨어.

선생님, 팔찌랑 이거 드릴 테니까 쌀 좀 사주세요 밥을 못 먹었습니다. 반지하 사는데 20만 원밖에 안 나옵디다. 선생님 배가 고파서 쌀이 먹고 싶습니다. 좀 도와주세요 선생님 부탁합니다. 남편은 농약 먹고 죽었습니다. 너무 배가 고픕디다 선생님. 이 몸뻬 바지도 50년 입었습니다 선생님.

그냥 지나칠 수가 없었지. 할머니는 내게 있어 거대한 블랙홀처럼 검고 깊은 어둠을 꺼내 보여줬으니까. 도저히 그냥 지나칠 수 없었지. 그래서 할머니께 은행에 들렀다 올 테니 잠깐만 기다리라는 말을 놓고 뛰어갔어. 번호표를 뽑고 꽤나 밀려 있는 번호에 평소와 달리 안심하며 정문에 있는 ATM기계로 가서 4만원을 인출하고 다시 할머니가 있는 쪽으로 걸어 갔지. 두 번 접은 4만원을 손에 쥐어 드리며 부족하지만 이걸로 쌀 사드세요 할머니 라고 말했어. 그러자 할머니는 선생님 이렇게 큰 돈 주셔서 우짭니까 감사합니다 선생님. 참말로 감사합니다 선생님. 선생님 성함이 우째 되십니까. 선생님 제가 잘되시라고 정말 기도하겠습니다 감사합니다 선생님. 제가 눈도 안 떠지고 다리도 엉망입니다. 이 몸빼 바지는 50년 입었습니다. 예, 남은 세월 행복 하셔야죠 할머니. 아이고 선생님 내가 머리가 띵하이 아프다. 우야면 좋을까.

두 손으로 내 손을 꼭 잡으며 할머니는 했던 말을 계속 반복하셨어. 감사합니다 선생님. 제가 눈도 안 떠지고 자식이 있어가 20만 원썩 밖에 안 나옵니다. 자식 없는 사람은 50만 원썩 나옵디다. 제가 반지하 살고 쌀이 묵고 잡은데 쌀이 없어가 못 먹었습니다. 감사합니다 선생님. 아이고 감사합니다. 네 모쪼록 건강하세요 할머니.

번호표를 들고 다시 은행을 들렀다가 돌아오는 길, 할머니는 여전히 길 위에 앉아 계셨어. 아마 다른 사람들에게도

똑같은 말을 반복하시며 스카프나 팔찌를 파시려는 것이겠지. 그렇다고 해서 할머니가 내게 거짓말을 한 걸까. 아니, 가지고 있는 스카프와 팔찌를 다 꺼내 팔아도 여전히 할머니는 절실하고 힘겨울 거라는 사실은 너무나 분명했으니까. 내일 해가 뜬다는 사실보다 더 선명하고 확실 했으니까. 나의 작은 조각으로 할머니가 아직 이 세계에 존재하는 희망을 느낄 수 있었다면, 내 손을 꼭 잡고 금방이라도 울 것 같은 표정으로, 행복하시라는 내 말에 금방이라도 울 것 같은 눈으로 날 쳐다보던 할머니의 표정을 내가 꺼낼 수 있었던 거라면, 충분하고 충분한 일이었어. 오히려 내가 할머니께 감사 해야할 일이었지. 나의 작은 조각으로 할머니의 가장 귀한 표정을 산 것이나 다름 없었으니까.

그 표정을 잊지 못하고 나는 또다시 누군가에게 또다시…, 바싹 마른 몸에 옮겨 붙는 나의 작은 조각을 잊지 못하고, 그 타오르는 감각을 잊지 못하고 다시 또다시, 나의 당연함이 누군가에게 절실한 조각이라는 그 위대한 기쁨을 잊지 못하고…

고통이야 말로

인간은 반드시 자신이 품은 신념과 진리에 지루해지는 법이다. 반드시 지루해지며 다시 새로운 것을 찾아 나서게 된다. 이전의 나와는 다른, 다른 모든 이들과 다른 특별한 깃털을 뽐내기 위하여 지루해지고 또 지루해야만 하는 것이다.

그 과정 속에 녹아 드는 괴로움과 아쉬움이야 말로 인간이 가장 아름다울 수 있는 이유다. 쳇바퀴 속의 영원한 불행과 열등감, 그리고 절망은 인간 자신에게 자기 파괴와 자해를 강요하며, 그로 인해 인간은 새로운 존재로 거듭나야만 하는 부활을 강요당한다. 불구덩이와 검은 늪에 자신을 집어 던지는 용기를 만드는 것이야 말로 삶에 있어서 가장 중요한 일 중 하나다.

인간은 삶 속에서 고통과 아쉬움에 시달리는 것으로서 세계에서 가장 아름다운 존재일 수밖에 없는 이유를 한 방울 한 방울 머금어 나가는 존재다. 인간은 바위와 다른 지위를 지니며 고통이야 말로 생명이 누리고 있는 가장 거대한 축복이자 저주이며 특권이다. 고통이야 말로 모든 것에 가치를 부여하는 가장 신적인 에너지이며 지금 이 세계가 지닌 아름다움의 근원이다.

바위는 아름다움을 낳을 수 없다. 태초에 세계에 아름다움은 존재하지 않았으며 인간 자신이 탄생함으로써 세계는 겨우 아름다움을 부여 받고 아름다울 수 있게 되었다. 즉, 우주의 존재이유는 철저히 작은 인간 한 명의 몸뚱이에 뿌리내리고 있다는 것이며…, 그리하여 인간 하나하나는 눈물이 날 정도로 존엄하다 감히 말 할 수 있는 것이다.

달팽이 걸음

저 먼 지구 반대편에 있는 이름 모를 무언가의 작은 몸짓 하나는 지금 이 순간 어떤 형태로 닿고 있는 걸까. 하나의 존재는 세상 모든 것들의 몸짓이 얽히고설켜 우연히 맺힌 결과이며, 그 하나의 존재는 다시 세상 모든 것들 중 하나가 되어, 세상 모든 것들의 어머니가 된다는 생각을 해본다. 그러자 당장 숨소리 하나 몸짓 하나조차 예사롭지 않은 것으로 거듭나는데…

한 생명이 일생 동안 펼치는 모든 이야기가 무수히 생성되는 모든 것들의 어머니라면 말 한 마디 조차도 얼마나 무시무시한 힘을 가진 칼날과 탄두로 거듭나는가. 세계의 운명을 바꿔버릴 정도로…

핵폭탄이나 바이러스는 너무나 분명히 드러난 위협인 나머지 위협이 아닐지도 모른다. 마치 존재하지 않는 듯 존재하는 위협이야말로 가장 끔찍한 위협일지도 모르며…

내 온몸이 세계에 내놓는 모든 형태의 것들은, 그러니까 분노와 좌절과 기쁨과 행복과 지루함이 표현된 모든 형태들…, 그러니까 아무렇지 않게 내놓은 모든 것들로 인해…

나는 주변을 어떻게 만들고 있는가, 아무렇지 않게, 세계에 무슨 짓을 저지르고 있는 걸까. 그 언젠가 누군가에게 흘린 끔찍한 표정 하나와, 말 한 마디는 도대체 어떤 파동과 열매를 낳고 있는 걸까.

더 이상 인간과 세계를 믿지 않기로 결심한 사람이 점점 많아진다면 얼마나 무시무시한 일이 될까. 상처투성이의 여린 가슴을 지닌 나머지, 누군가를 향해 힘껏 으르렁거리거나 자기 자신을 물어뜯는 사람이 가득한 세계는 어떻게 되는 걸까. 그런 사람들 곁에서는 다시 어떤 사람들이 만들어지는 걸까.

그래, 그렇다면 세계의 운명은 인간에게 달린 것이 아닌, 오롯이 나 자신에게 대롱대롱 매달려 있다는 것이다…. 나 혼자 따위의 힘으로는 아무것도 변하지 않는다는 마음이 가진 파괴적인 힘을 보라. 블랙홀 같이 깊은 공허야말로 거대한 빅뱅을 품고 있으며, 삶에 <의미>를 갈구하는 사람은 반드시 <허무>를 만들어낸다.

사실, 세상은 허무한 적도 의미 있었던 적도 없다. 자신이 세상을 허무하게 만들었을 뿐. 모든 것이 가치가 없고 쓸모 없는 게 아니라 나 자신이 세상을 그렇게 해석하고 선언하고 그렇게 만든 것이다. 세상은 이전과 마찬가지로 그대로였다. 세상에 가치란 존재하지 않는다. 의미도 존재하지 않는다. 결국 세상을 가치 없다고 말하는 사람은, 자신의 필요에 의해 세상을 그렇게 만든 것이다.

여기서 놀라운 점은 사실상 이 세상 모든 것을 쓰레기통에 처박고 파괴할 힘이 결국에는 인간 안에 있었다는 점이다. 여기에서 혁명은 일어난다. 세상이 무의미 한 것이 아니라. 내 자신에 의해 세상이 무의미 해졌다면, 내 자신에 의해 세상의 운명이 결정되는 것이라면, 온 세상에 가치를 부여할 힘 또한 내 안에 존재하는 것이 아닐까? 그것을 하지 못할 이유는 무엇인가? 가치라는 것이 우주 밖 어딘가에 존재하는 것이 아닌, 오로지 내 안에서 생성되고 존재하는 것이라면 정말 두렵고도 놀랍지 않은가. 결국 세상의 의미라는 것은 어딘가에 존재하고 , 우리가 찾아다녀야 하는 것이 아니라, 우리 스스로 직접 만들어야 하는 것이라는 고고한 두려움을 말하는 것이다. 결국 허무란, 이 세상에서 모든 의미를 걷어내고 절망함으로써 다시 세계에 가치를 부여하고 창조하는 신적인 존재로 거듭날 수 있는 힘을 인간 안에서 깨우는 근원적인 에너지이며, 인간이란 태어나는 순간부터 허무, 고통, 절망을 들고 고민해야하는 운명을 지닌 존재라고 말할 수 있는 것이다.

더 나은 존재가 되려는 영원한 고통과 절망, 비교를 통해 느끼는 열등감이야 말로 우리 몸 안에 부정할 수 없는 진리이자 진실이다. 허무는 우리가 탄생하는 순간부터 예고되어 있는 운명인 것이다.

단순히 먹고 자는 문제가 아닌 더 높은 차원의 문제를 생성해서 의미를 부여하고, 새로운 발버둥을 세상에 내놓는 것으로서 더 나은 존재로 거듭나야 한다는 시대에 우리는 놓여 있다. 단지 태어나는 것만으로는 부족한 시대다. 이 허무라는 에너지는 너무나 강력한 나머지, 자살이라는 자기파괴적인 형태로 진화하기도 한다. 그래서 그 에너지를 잘 다룰만한 힘이 필요하다. 허무를 가장 유용한 형태의 에너지로 활용하는 방법은 아마도 <감사>일 것이다 .

허무를 통해 내 안의 힘을 발견하고, 삶에 대한 인간 존재 자체에 대한 기쁨을 느끼는 것에 반드시 따라오는 과정이 모든 것에 감사를 느끼는 과정이다. 감사란 어떤 것의 가치를 안다는 뜻이며, 결국 푸른 하늘을 보며 감사를 느끼는 일은 푸른 하늘에 내가 가치를 부여하는 신적인 행위를 한다는 것이고, 이것은 남들이 발견하지 못한 특별한 아름다움을 느꼈다는 기쁨을 준다.

허무를 통해 모든 것을 파괴하고 잃어버려라. 그러면 비로소 너는 네가 원래 가졌던 것들을 비로소 진짜 가질 수 있게 될 것이다. 정말 소중히 가질 수 있는 건 한 번 잃어버려본 것뿐이다. 그리하여 너는 비로소 그 텅 빈 공간을 허무가 아닌 가능성과 감사로 채우고 싶은 욕구를 지니게 될 것이다. 새로운 놀라움과 가치를 발견하고 빈 선반에 너만의 것을 하나하나 채우는 그런 위대한 기쁨을 누릴 것이다.

이것은 결코 작은 것에 감사하며 멈추고 안주하라는 말이 아니다. 더 나은 상태로 나아갈 필요가 없다고 말하는 것이 아니다. 그리고 난 이 부분에 대해서 걱정하지 않는다. 그러지 마라고 해도 인간은 다시 그 영원한 아쉬움과 고통을 들고 괜찮지 않게 될 운명이기 때문이다.

다만 너만의 파편들을 모아라, 가슴이 식을 때 마다 눅눅한 장작에 불을 붙여줄 그런 파편 불꽃들을 모아라. 잘 쌓아온 파편은 언젠가 큰 용기로 거듭날 것이다.

더 나은 존재가 되고 싶다는 고통과 아쉬움에 끊임없이 시달리지만 또한 그리하여 모든 것에 감사 할 수 있게 되었다는 에너지의 극적인 순환은 우리의 삶을 형언할 수 없는 아름다움으로 잔뜩 채워줄 것이다.

단 한 사람, 자기 자신의 내면에서 일어난 고요한 변화와 혁명을 말하는 것이다. 그렇게 세상은 여전히 어제와 같은 모습으로, 변한 것이라고는 단 하나도 없는 그런 모습으로 모든 게 바뀌어 있을 것이다. 세상 가장 고요하며 위대한 혁명이다.

세계는 위대한 달팽이 걸음이 낳는 소리로 한 사람의 가슴 안에서 조용히, 계절처럼 뒤집힌다.

기름진 절망

자신의 존재 가치를 이 세계 가장 꼭대기에 올려놓기 위한 작업의 총체를 삶이라 정의하자.

다시,

자신의 존재 가치가 이 세계에서 가장 높고 위대한 둥지에 기거한다는 최면을 기어코 만들어 내는 눈물겨운 작업을 삶이라 하자. 이 부질없이 아름다운 춤을 삶이라 하자.

그렇다면 풀 아래 목이 터져라 우는 귀뚜라미의 울음이, 가로등에 끊임없이 박치기하는 날벌레와 나방들의 춤사위가 예사롭지 않게 되는데 귀뚜라미처럼 기꺼이 풀 아래서 목이 터져라 울만한 이유를, 저 날벌레처럼 가로등에 목숨 걸고 몸을 던질만한 이유를 만들어내야만 한 단다.

가슴 아래 타 들어 가는 고통과 절망 속에서 그럼에도 불구하고 이 모든 걸 짊어지고 나아가야 할

이유를

최면을

만들어야만 한 단다

이 시대는 그저 살아남는 일이 부끄러운 것이 되었고 안전하고 또 안전하며, 기름진 고통과 절망, 그저 살아 있어서는 죽은 것만 못하다는 거대한 절망을 안고 살아가야 하니까.

사골 곰탕

괜찮지 않아야만 하는 시대에 앉아, 사골 곰탕은 단돈 천 원에 푹 고아져 마트 안에 앉아 계신다. 시대의 전율에 짓무르는 몸은 다만 아무 말 하지 못하고 슬픈 플라스틱 번데기가 되어야 만 하는 것처럼 느낀다.

목숨이 저기 강철 금고 안에 놓인 세상이다. 시들지 않는 꽃밭에서 꽃이 버려져야 할 이유가 산더미처럼 쌓인다.

화려한 조명 아래 증발하는 사랑, 웅덩이로는 부족해, 그래서 우리는 거대한 슬픔으로 먹먹한 바다를 꺼내야만 하는 거지.

진리보다 미지

우리는 진리를 원하는 것이 아니라, 그 누구도 밟아본 적이 없는 미지를 원할 뿐이다. 영원과 진리는 영원한 신기루로서 남아있어야 하며. 그러니까 오직 '미지'만이 우리가 추구해야 할 가장 완벽한 가치이자 허상이다.

가로등에 미친 듯이 머리를 박는 나방의 모습이 우리가 추구해야 할 가장 이상적인 모습이다. 숨이 붙어 있는 한 영원히 생성되는 미지를 좇으려는 아름다운 날개 짓이다. 그 부질없는 날개 짓과 발버둥 아래에서 우리가 존엄한 이유가 후두두 떨어진다.

그러니까 인간이란 그 무엇으로도 해결 불가능한 갈증이자 온 우주를 집어 삼켜도 꺼지지 않는 영원한 굶주림이기에 이렇게 반짝이는 거지.

이 우주에서 대체 불가능한 단 하나의 절대 존재로 거듭나기 위하여,

숨이 붙어 있는 한 영원히,

영원히 미지를 향해 몸을 던지며.

발버둥, 집중

주변에 존재하는 생명이란 모든 생명은, 수북한 절망과 돌이킬 수 없는 후회, 그러니까 넘치는 고통 속에서도. 뻔한 운명의 아가리 위에서도, 죽음 밖에 떠오르지 않는 상황에서도, 그럼에도 살고자 모두들 혼신으로 발버둥치고 있다. 마치 이 삶이 그럼에도 너무나 아쉽다는 듯, 절대적으로 소중하다는 듯.

집중.

모든 생명이, 각자의 멜로디를 가지고 수북한 절망과 돌이킬 수 없는 후회와 고통 속에서도, 눈물이 날 정도로 뻔한 운명의 날카로운 아가리 위에서도, 삶을 발끝으로 디디고 있는 상황에서도, 그럼에도 살고자 혼신으로 발버둥 치고 있다. 마치 이 삶이 너무나 아쉽다는 듯 절대적으로 소중하다는 듯.

커피 한 잔의 전복

비로소 커피 한 잔에도 눈물겨운 감사와 전율을 짜낼 수
있게 된 몸은 비참한 소나기가 몰아쳐도 꿋꿋한 한 채의
집처럼 우뚝 고요히 기적을 행하신다.

세상 가장 위대한 기적은, 한 인간의 내면에서 아무 일도
일어나지 않은 것처럼, 고요히 기지개를 펴고 어제와 같은
모습으로, 세계를 전복시킨다.

무심코

무심코 날파리를 향해 손바닥을 펼쳐 다시 주먹을 쥐는 일은 아무런 일도 아니다.

날파리에게는 필사의 몸부림이 필요한 순간이겠지.

사이드브레이크 이야기

혹시 좀 도와주실 수 있습니꺼. 여 사이드브레이크가 안
내려가예. 예? 사이드브레이크요? 예, 이게 엔지니어가 만
지고 나서 탔는데 우째 됐는지 안 내려가예. 좀 내려주실
수 있습니꺼. 예 잠시만요 근데 저 면허가 없는데 그냥 내
리면 돼요? 예 제가 불 켜드릴게예. 아 이게 잘 안되네. 어?
됐다. 하이고 진짜 감사합니더 이게 우째 됐네예. 다행이네
요 추운데 길 한복판에서 고생 많으셨겠어요. 하이고 우
짜다가 그래도 신기하게 이렇게 딱 잘 만나가지고 진짜 다
행이네예. 아유 뭘요 어쨌든 좋은 하루 보내세요. 예 진짜
감사합니더.

볼품없다 느끼던 몸은, 때때로 누군가에게 절실한 물 한
모금처럼 반짝이며 하늘에 떠 있는 별빛보다 더 반짝이는
몸으로, 그 사람의 가장 비싼 표정을 훔친다.

별것 아닌 도움을 준다는 일은, 누군가에게서 가장 아름다
운 표정을 선물 받는 일과 마찬가지다. 때때로 서로에게

별빛이 될 순간이 펼쳐진 이 세상에서 그 순간에 항상 준비된 방랑자들이 가득하다면 야⋯

희망이나 사랑이라는 것은 다만 동화나 오래된 이야기 속의 것만은 아닐 것이다.

무상함의 무한함

세계에는 우리가 생각하는 영원 불멸한 실체라는 것은 없다. 오히려 만물의 실체는 무상하며 끊임없이 변화한다는 것 그 자체뿐이다.

만물은 항상 변하며 그로 인해 모든 것이 공하다는 사실은 허무를 낳는다. 찾아 헤매던 영원불멸의 가치라는 것이 이 세상에 없음을 깨닫는 일이며, 만물이 무상하다는 사실은 갈증 앞에 존재하는 바다처럼 해결 불가능 한 것으로 놓인다.

그러나 만물이 무상하기에 세계가 부질없다는 결론으로 나아가서는 안 된다. 오히려 역설적으로 만물은 무상하기에 세계는 그야말로 애타는 아쉬움으로 타 들어 간다는 새로운 세계를 잉태해야 한다. 영원한 벚꽃보다 어느 순간 없어지고 마는 찰나의 벚꽃의 진정한 가치에 눈을 떠야 한다.

그렇기에 무상한 것을 소유하려는 일은 가장 어리석은 일이며 무상한 세계와 접촉하며 발생하는 끊임없는 인연, 그 순간 순간을 온전히 느끼며 스스로 익어가는 것이야 말로 가장 아름다운 삶의 형태이자 진정한 소유다.

햇살 바람 흙의 노래에 맞춰 스스로 빨갛게 익어가는 열매의 모습이야 말로 참된 모습이며 햇살과 바람과 흙을 어찌 해보려는 사람은 끊임없이 고통에 겨워하며 자기를 잃게 될 것이다.

그렇기에 '공'이란 영원 불멸에 집착하는 마음을 잃어버려야만 하는 아픔이며, 세계의 '무상함'을 받아들인 땅에 새로운 아름다움이 돋아날 자리를 닦는 힘이다. 새로운 세계를 낳게 만드는 힘이다.

사랑하신다

완전무결한 세계란, 죽음조차도 없는 허무 그 자체의 세계다. 그리하여 신(神)은 세계에 불완전을 일으키니, 생명과 죽음이 생기고 비로소 선악 미추가 생기니, 마침내 보기가 좋다 하시더라. 선은 악이 있을 때만 존재하며, 죽음은 생명이 있고 난 다음에야 있는 것이니. 왜 신께 악과 죽음을 만드셨냐고 한다면, 그렇지 않으면 선도 삶도 아름다움도 없는 것이 이 우주이기 때문이라 하시더라. 완전하다는 것은 가장 슬프고도 절망적인 것이며, 불완전하다는 것이야말로 모든 것들을 낳는 어머니와 같은 것이다.

그리하여 신은 모든 생명을 사랑하신다.

설령

이 세계가 거대한 오케스트라라고 한다면, 버릴 만한 멜로디라는 건 도무지 단 하나도 있을 수가 없다.

도무지.

설령 그것이 살인자나 소매치기의 멜로디라 할 지라도.

퇴장

이 글뭉치들은 분명한 목적의식을 가지고 탄생했습니다. 백지 위에 스며든 이 이야기는 세계를 고요히 전복시키려는 의지의 변주입니다.

'나'라는 가장 고요히 위대한 세계입니다.

다시 한번 타는 갈증으로 거듭나기 위하여 고요히 나 자신에게 덤비는 하나의 몸부림입니다.

무대 위에서 열심히 싸워온 주인공 찬쵸가 그대를 위해 남기는 마지막 장면은 아래와 같습니다

***

저 먼 땅에서 기쁜 소식이 들려왔다. 찬쵸가 드디어 그 갑갑한 만원버스에서 뛰어내렸다는 소식이었다. 무거운 기대

를 깊숙이 찌른 반역이었다. 꽉 쥔 돌은 결국 시든 운명의 정수리를 향했고 찬쵸는 그르렁 대는 이빨을 깨워 기꺼이 쫓기기로 각오한 것이다. 숨어 초라했던 몸이 마침내 술래 앞에 드러난 것이다.

그렇게 쿵쿵- 온 몸을 때리는 뜨거운 박자와 함께 찬초는 선명히 존재함을 세상에 알렸다.

'여기 있다. 여기 있다. 여기 있다.'

성난 운명을 유혹하는 찬쵸의 고유한 박자가 대지에 울려 퍼졌다. 숨바꼭질은 끝나고 술래잡기가 시작된 것이다. 숨 죽여 잔잔했던 피부 위로 뜨거운 파도가 넘실댔고, 소리치는 찬초의 털끝은 온 세상을 흔들어 깨웠다. 그래, 마침내 찬쵸는 저지르고 말았다.

뒤 돌자, 가득한 육체들로 뿌연 버스의 창문에선 조롱과 동정이 뒤섞여 쏟아졌다. 찬쵸를 사랑한 이들은 손 뻗어 절규했다. 버스에서 내린 자를 기다리는 건 비참한 삶이라 배웠기 때문이다. 찬쵸에게 잔뜩 들러붙는 눈알들은 죽음과 공포를 속삭였다. 그래도 쏟아지는 저주가 찬쵸는 두렵지 않았다. 수없이 미리 아파 본 장면이었기에.

다만, 그들은 눈치 채지 못했다. 황무지이자 미지에 발을 디딘 그 순간, 찬쵸 안에 번진 고요히 거대한 떨림을 말이다. 찬쵸 자신도 미처 예상하지 못한 찌르르한 가슴에 눈물이 왈칵 쏟아지는 몹시 선하고 아름다운 순간을 말이다. 그의 온 몸을 부서질 듯 꽉 끌어안은 전율을 말이다. 물론 그 순간은 길지 않았다. 강렬한 만큼 빠르게 식고 굳어갔다. 멈춘 숟가락과 식어버린 죽이었다. 예전처럼 돌아가려는 관성이 찬쵸의 마음을 다시 초라하게 만들기 시작했다. 그렇게 그 강렬한 순간은 찰나에 증발해버리며 영원히 사라질 그런 순간인줄로만 알았다.

하지만 시간이 진득이 흐린 뒤 찬쵸는 깨달았다. 그 강렬한 순간, 가슴에 퍼졌다 사라진 찌르르한 미련은 다름 아닌 움튼 씨앗이었음을, 그리고 그 씨앗은 가슴 어딘가 조용히 푸른 싹으로 여전히 버티고 있었음을 말이다.

그래, 작은 가슴에 겨우 고인, 그러나 충분했던 용기를 쥐고, 홀로, 황무지를 디딘 그 순간을 못 잊어 찬쵸는 지금까지 그야말로 살아남았다. 가슴속 이 작은 초록빛을 지키기 위하여, 그 최후의 열매를 보기 위하여 찬쵸는 질끈 감은 눈으로 맞서 싸웠다. 몰아치는 공포 속에서 연약한 삶은 마침내 이유를 붙잡은 것이었고 그렇기에 손아귀는 불타올랐다. 그래, 비로소 존재는 여백 위로 달리며 마음껏 흔적을 남겼다. 그냥 하늘은 푸르러 기쁜 감동으로, 그냥 햇살은 찬란한 가슴에 먹먹한 빛으로 다시 적히며 벅차 우는 순간들이었다. 태풍으로 울컥 몸을 던진 나비였다. 눈 뜬 장님이 다시 눈 뜨며 진득한 코를 실컷 마시는 순간이었다.

그래 그 순간, 우리가 온전히 그 순간에 공명하기 위해선 우리 사이에 다소 긴 페이지가 필요했던 것이다. 우주에 덜컥 던져진 찬쵸와 세상이 몰래 주고받은 이야기에 몹시 귀 기울여야만 했던 것이다. 자, 그 빅뱅으로부터, 찬쵸가 이 우주 곳곳에 비벼 남긴 체취를 그대는 따라온 것이다. 고요해 마치 없는 것 같던 찬쵸의 삶, 그 껍데기 아래 숨죽여 흐르고 있던 위대한 진주를 함께 나눈 것이다. 귀 기울이지 않으면 결코 들리지 않는 조용한 속삭임으로, 평범하고 지루한 삶 아래 가장 위대한 이야기가 흐르고 있었던 것이다. 자, 세상을 구한 영웅 따위의 우렁찬 이야기가 아닌, 기어코 자기 자신을 스스로 구해 낸 가장 위대한 영웅의 이야기가 이제 막을 내리려 한다.

이 이야기는 지금 어딘가에서 허우적대는 또 다른 찬쵸를 위한 이야기다. 들을 준비가 된 귀에 던지는 이 보잘 것 없는 튜브가… 세상 가장 벅찬 가슴을 그대로부터 꺼내는 기적이 되길 소망하며…

-THE END-

- 외전 -

Dduya

장면 1

거절할 수 없는 강렬한 향기가 몸을 잡아당긴다. 일의 정당성 따위는 중요하지 않다. 옳고 그름을 따지는 일 따위는 전혀 중요하지 않았다. 자기 자신이 절실히 필요하다는 말이 마침내 세계에 나타났으니까. 오로지 그 말 한 마디에 모든 것이 들러붙을 정도로 그 말에 절실한 몸이었으니까.

무인도에 있는 사람에게 있어서 저 멀리 나타난 배가 해적선인지 화물선인지는 중요하지 않다. 그것이 설령 죽음이라는 결과를 낳는다 할지라도 살 수도 있다는 작은 틈이 벌어진 것이니까. 모든 걸 걸어볼만한 기회가 나타나 마지막 쓸모를 이 몸에 선물한 것이니까.

"언제까지 아무런 짐을 지려하지 않을 거야? 그건 겸손일까 아니면 도망치는 걸까. 넌 죽을 만큼 충분히 망설였잖아 온 몸이 썩어버릴 정도로 말이야. 지금 밖에 없어 오늘

같이 멋지게 타오르는 날은 다시 오지 않을 거야. 지금이 가장 싱싱한 몸을 던질 수 있는 절호의 찬스야! 하는 거야. 저지르는 거야. 이번 일이 성공하고 말고는 전혀 중요하지 않아. 난 그저 스포트라이트 아래에서 춤추는 네가 보고 싶을 뿐이야."

넌 죽을 만큼 충분히 망설였잖아.
썩어버릴 정도로.
춤추는 네가 보고 싶을 뿐이야.

어떤 자물쇠를 걸어 놓든 상관없다는 듯 거침없이 틈을 찾아 흘러 들어오는 말이 품에 안긴다. 그리고 지긋이 바라보는 운명의 눈썹이 어느 때보다 단단해진다. 덜덜 떨리는 걸음으로 요동치는 심장과 함께 담벼락 끝에 자리를 잡는다. 마침내 지루한 숨바꼭질이 아닌 뜨거운 술래잡기를 시작하려는 것이다. 그르렁 대는 운명의 이빨 앞에 떨리는 두 다리를 이끌고 모습을 드러내려는 것이다

장면 2

"그래, 그런 거라면 다행이구나. 넋 놓고 쫓아갈 정도로 강렬한 빛을 만난 거라면 그럴만한 가치가 있을 게야. 그게 옳은 길이든 아니든 말이야. 난 그저 걱정 됐을 뿐이란다. 혹시나 네가 스스로 파괴될 구실을 찾고 있는 건 아닌지 그게 걱정 됐을 뿐이란다."

노인의 마지막 말이 가슴에 툭 하고 걸려온다. 이해할 수는 없었지만 당장 이해하지 않으면 안 될 것 같은 말이 가슴에 툭 하고 걸린다.

"스스로 파괴될 구실을 찾고 있다니요? 그게 무슨 말이에요?"

그러자 노인은 크게 한 번 숨을 들이마시고 난 뒤, 마치 자신의 혼을 내뱉는 듯 말을 시작했다.

"대게 하수구에 있는 녀석들은 죽는 게 부끄러울 정도로 안전한 녀석들이란다. 그래서 부끄럽지 않은 구실만 있다면 불나방처럼 뛰어드는 거지. 지금까지의 모든 죄를 활활 태워 없앨 수 있으니까. 앞으로 펼쳐질 끔찍한 미래 마저도 한꺼번에 말이야. 그렇게 용서받는 거지. 구원받는 거야. 어쩔 수 없는 그런 아쉬운 죽음이었다고 위로하면서 말이야. 상자 뚜껑을 기어코 열지 않은 채 활활 타버리며 안심하는 거란다.

만약 그대로 살았더라면 절대 사랑받지 못할 그런 존재로서 비참하게 죽어갔을 게 뻔한 그런 삶이 상자 속에 들어 있었으니까.

변화해야 하는 건 자기 자신임을 뻔히 알면서도 변하지 않는 거야. 최소한의 안락함이 주어져 있으니까. 그렇기에 당장 내일은 괜찮다는 그 끔찍한 늪에 서서히 빨려 들어가는 거란다. 기어 나올 힘이 분명히 있지만 그건 일단 당장 너무 힘든 일이거든. 목까지 잠길 때까지 그렇게 서서히 늪에 잠기는 거지. 내일 기어 나와도 좋고 내년에 기어 나와도 괜찮은 일이니까.

그래, 늪이 너무 서서히 가라앉는 늪이라는 게 문제인 게야.

그래서 누군가 자신을 권총으로 쏴 죽여 주기를 원하는 거란다. 거대한 무언가 부디 죽여 주기를 원하는 거야. 갑자기 전쟁이 일어난다거나 지구가 대 재앙에 휩쓸려 버리기를 원하는 몸인 게지.

왜냐고? 책임지지 않아도 괜찮으니까. 한 번에 빚을 털고 가는 거야. 적어도 그런 죽음에는 동정만이 따를 뿐이니까. 경멸이나 혐오는 들러붙지 않으니까. 그게 좋은 거야.

잘 생각해 보렴. 사지 멀쩡하게 굶주림 없이 자란 녀석이 하수구 아래에서 아무것도 하지 않은 채 스스로 목숨을 끊었다는 그런 죽음에는 어떤 말들이 따라올지 말이야.

그래, 바퀴벌레를 보는 것과 닮은 그런 눈빛들이 쏟아지겠지 그러니까 하수구의 녀석들은 어쩔 수 없는 무언가가 자신을 덮치기를 애타게 기다리는 거란다. 어쩔 수 없이 그렇게 되어야만 하는 강렬한 무언가가 오기를 기다리는 거야. 아무 일도 일어날 리 없는 그런 가장 안전하고 고요한 하수구 안에서 무언가 큰 일이 벌어지기만을 고대하는 게지.

아무 것도 하지 않은 채,

그저 온 세상을 경멸하며,

그 중에서도 자기 자신을 가장 혐오하면서 말이야.

그래서 하수구의 녀석들은 세상이 망해가고 있다는 소식을 가장 사랑하는 거란다. 파괴될 구실을 애타게 기다리며….

녀석들에게 있어 세상이란 반드시 절망이 가득한 종말론으로 가득해야만 하는 게야…, 그래야 겨우 안심할 수 있으니까. 거대한 악을 만들고 원망할 무언가를 찾는 거지.

하지만 다행이구나, 너는 그런 게 아니라고 말하니까 말이야."

장면 3

[뚜야와 그의 친구들을 위하여]

버려진 모든 동물들을 위하여, 이 냄새는 존재한다.
상처받고 버려진 친구들은 이 냄새를 읽으며 함께 손을 꽉
잡자.

차에 치여 숨이 꺼져가는 친구를 위해, 주사 바늘을
기다리는 친구를 위해, 쉴 새 없는 학대에 지금 이
순간에도 눈물을 흘리는 친구를 위해, 우리에 갇혀 도살을
기다리는 친구를 위해, 버려지고 상처 받은 모든 친구를
위해, 우리는 이 냄새를 남겨 함께 맡으며 외롭지 않을
것이다.

우리의 끔찍한 희생은 길이길이 인간들의 마음속에 남아
더 나은 세상을 불러올 파랑새가 될 지니.

용서하자.

바다보다 넓은 가슴으로, 오히려 상처받을 인간들의
가슴을 걱정하자. 세상을 용서하는 눈빛으로 최후를 맞자.
그렇게 우리는 모두의 눈에 고이는 파랑새가 될 지니.

사랑하는 가족을 만나 따스한 온기 속에 살아가는
동지들의 소식에 안도하며 우리는 그대 인간들을 축복하며
죽어 가리라.

단 한 가지 소원이 있다면
이름 없이 소리 없이 죽어간 우리를 잠시나마 떠올려
주기를. 그렇게 너희들의 가슴 작은 구석에서나마 작은
불꽃으로 살아갈 수만 있다면 우리는 행복에 겨워 이 숨을
멈추리.

찬초가 거누는 사냥감은 분명하다. 위태로운 둥지 위, 어쩔 수없이 살아가는 사지 멀쩡한 불구들과 자신을 위해 이 글 뭉치는 백지 위에서 전진한다. 문 너머의 세계를 죽이고 스스로 사육 당하며 기름진 고통에 울부짖는 이들, 산들바 람을 피해 벼랑 끝으로 뛰는 이들이 잠깐 쉴 수 있도록 이 세계는 마련되었다. 어여쁜 몽돌과 같은 위로를 몰래 쥐어 갈 수 있도록 가장 부드럽고 은밀한 화살로 목표물의 가슴 을 관통하려 하는 것이다.